So that's why you write <u>fourteen</u> that way!

<u>1</u> <u>4</u>
Set of ten   ones left over

Now, read these numbers to someone.

EMC 4060

Write the number.

 = $\underline{13}$

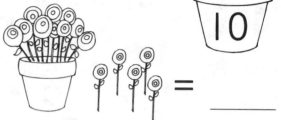 = ____

 = ____

 = ____

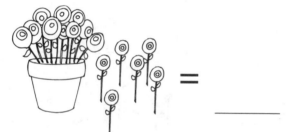 = ____

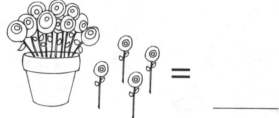 = ____

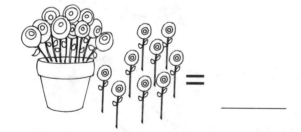 = ____

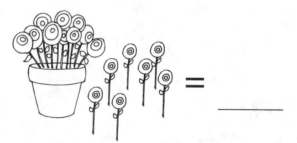 = ____

Fill in the missing numbers.

1									
									20

2

Circle sets of 10

_2_ sets of 10

_____ sets of 10

_____ sets of 10

_____ sets of 10

_____ sets of 10

_____ sets of 10

EMC 4060

Match each set to its number.

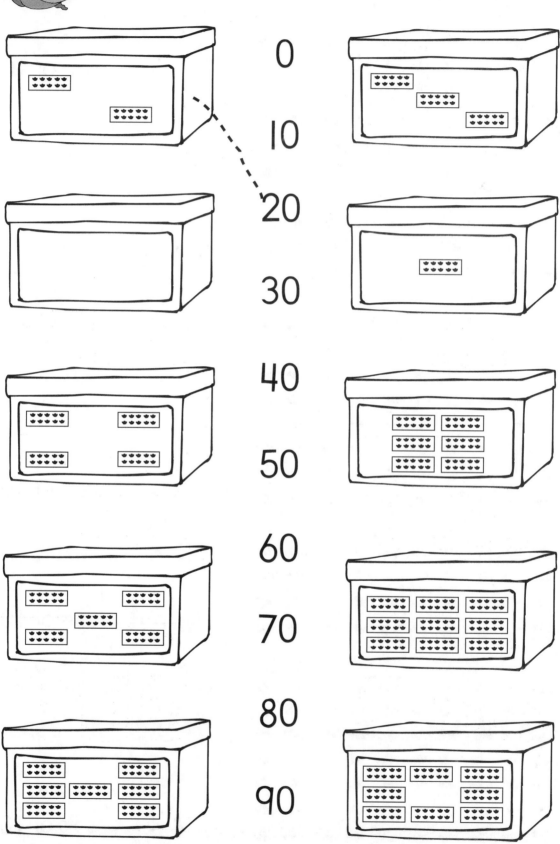

0

10

20

30

40

50

60

70

80

90

EMC4060

So that's why you write 20 that way.

2 0

sets of ten   ones left over

Now, read the numbers you wrote to someone.

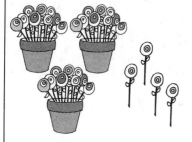

$$\underline{3} \quad \underline{4} = \underline{34}$$
tens   ones

$$\underline{} \quad \underline{} = \underline{}$$
tens   ones

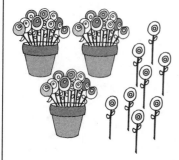

$$\underline{} \quad \underline{} = \underline{}$$
tens   ones

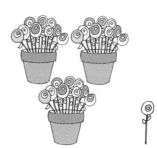

$$\underline{} \quad \underline{} = \underline{}$$
tens   ones

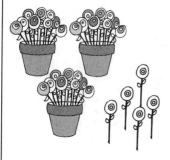

$$\underline{} \quad \underline{} = \underline{}$$
tens   ones

$$\underline{} \quad \underline{} = \underline{}$$
tens   ones

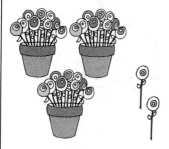

$$\underline{} \quad \underline{} = \underline{}$$
tens   ones

$$\underline{} \quad \underline{} = \underline{}$$
tens   ones

EMC4060

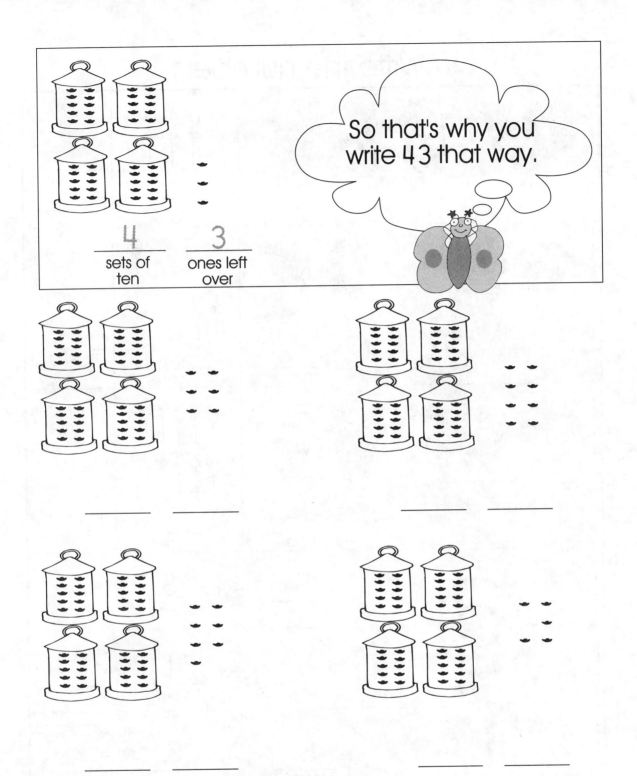

So that's why you write 43 that way.

4	3
sets of ten	ones left over

Fill in the missing numbers.

40				
				49

Write the numbers.

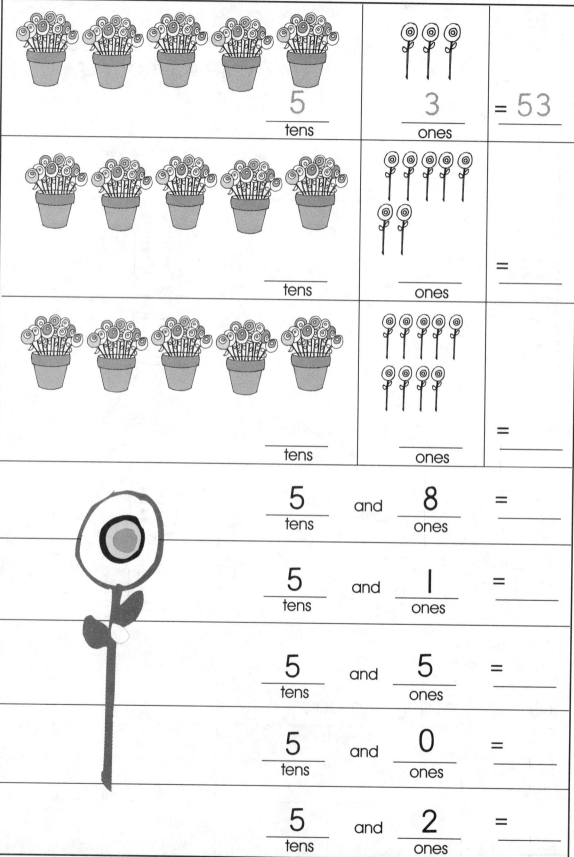

	tens	ones	
	5	3	= 53
	___ tens	___ ones	= ___
	___ tens	___ ones	= ___

5 tens	and	8 ones	= ___
5 tens	and	1 ones	= ___
5 tens	and	5 ones	= ___
5 tens	and	0 ones	= ___
5 tens	and	2 ones	= ___

Now, read the numbers you wrote to someone.

8

EMC4060

Write the numbers to 50.

1	2			

EMC 4060

Put the numbers in order for the bugs.

6	3	5
2	4	7

2	3				

17	19	20
18	21	22

		19			

29	32	34
31	33	30

				33	

46	49	47
50	48	45

		47			

9	49	47
36	14	43

EMC4060

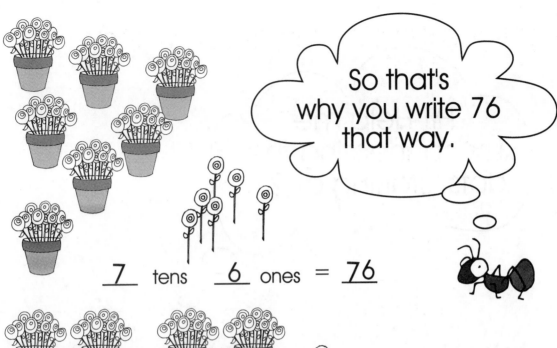

So that's why you write 76 that way.

7 tens 6 ones = 76

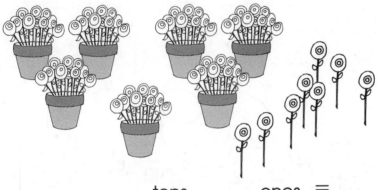

___ tens ___ ones = ___

7 tens 3 ones = ____	7 tens 4 ones = ____
7 tens 5 ones = ____	7 tens 2 ones = ____
0 tens 9 ones = ____	7 tens 0 ones = ____

Count:

61	62								
									80

EMC4060

8 tens and 2 ones   =   82

8 tens and 6 ones   =   _____

8 tens and 3 ones   =   _____

8 tens and 9 ones   =   _____

8 tens and 0 ones   =   _____

8 tens and 7 ones   =   _____

8 tens and 4 ones   =   _____

8 tens and 1 ones   =   _____

8 tens and 8 ones   =   _____

8 tens and 5 ones   =   _____

Count the 10s.

is a set
of ten.

93

EMC4060

- Count by 2s.
  Color those numbers red.

- Count by 5s.
  Put an X on those numbers.

- Count by 10s.
  Circle those numbers.

1	2	3	4	5	6	7	8	9	10
11	12	13	14	15	16	17	18	19	20
21	22	23	24	25	26	27	28	29	30
31	32	33	34	35	36	37	38	39	40
41	42	43	44	45	46	47	48	49	50
51	52	53	54	55	56	57	58	59	60
61	62	63	64	65	66	67	68	69	70
71	72	73	74	75	76	77	78	79	80
81	82	83	84	85	86	87	88	89	90
91	92	93	94	95	96	97	98	99	100

EMC 4060

Help put the wash in order.

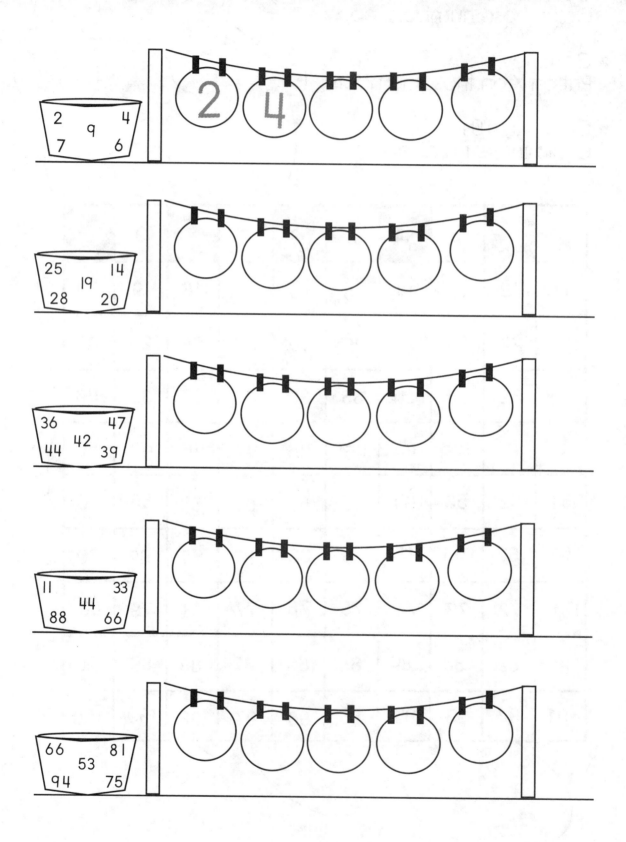

EMC4060

Start at 1.
Fill in the missing numbers.
Help the bee find the field of flowers.

56	57	58	59		61	62	63	64
55	30	31	32	33		35	36	65
	29	12		14	15	16	37	66
53		11	2	3		17	38	
52	27	10	1		5	18	39	68
51	26		8	7	6		40	69
50	25	24		22	21	20	41	70
	48	47	46	45	44	43		
80		78	77		75	74	73	72
81	82	83		85	86	87		89
98	97	96		94	93		91	90
99	100							

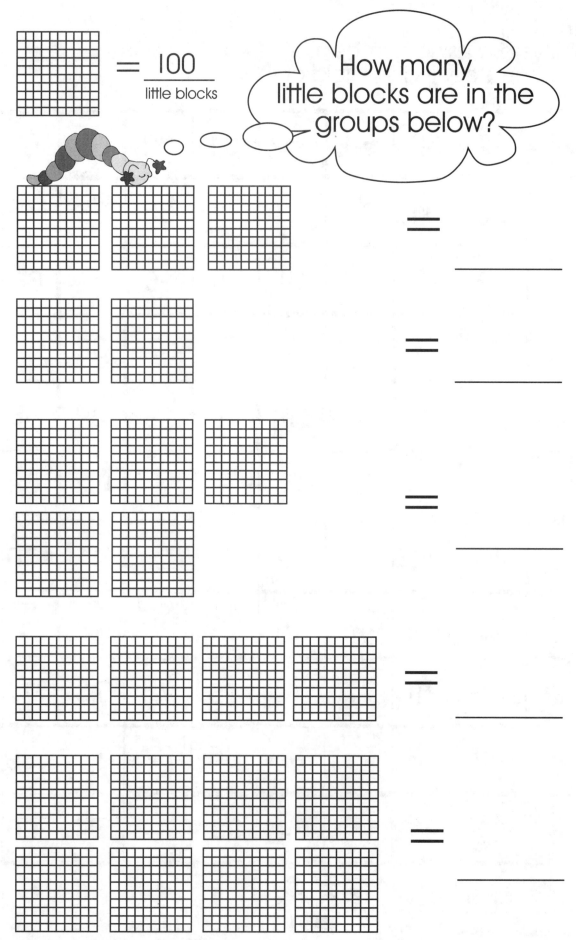

= $\underline{100}$
little blocks

How many little blocks are in the groups below?

= _____

= _____

= _____

= _____

= _____

EMC4060

Count by 100s.

100 _____ _____ _____

_____ _____ _____ _____

_____ 1000

What comes next?

100 200   700 _____

400 _____   200 _____

300 _____   600 _____

500 _____   800 _____

EMC 4060

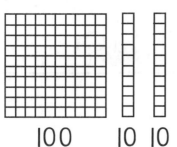

More than 100.

100 10 10 3 $=$ _123_

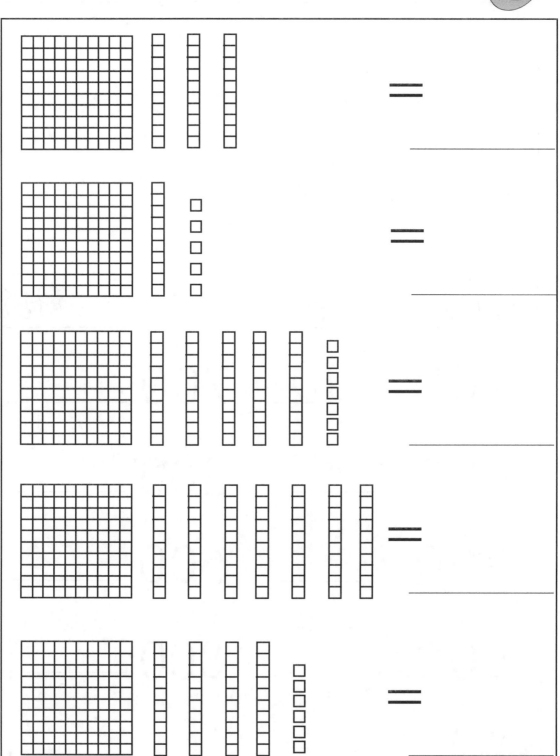

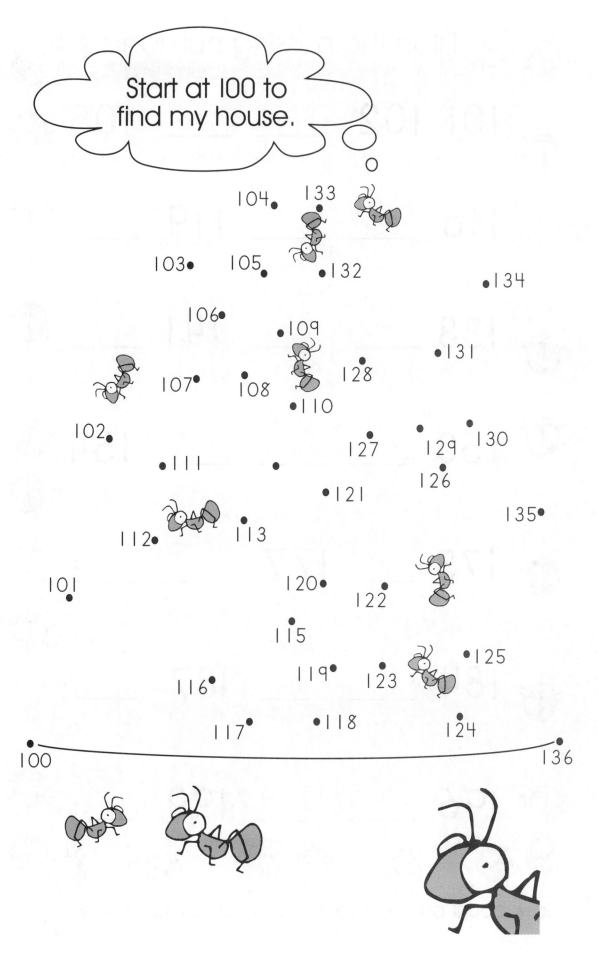

Start at 100 to find my house.

Fill in the missing numbers.

101 102 ___ ___ 105

116 ___ ___ 119 ___

138 ___ ___ 141 ___

150 ___ ___ ___ 154

175 ___ 177 ___ ___

184 ___ ___ 187 ___

196 ___ ___ 199 ___

Now, count out loud from 100 to 200 for someone.

EMC4060

Unscramble the numbers.

a. 15   26   19   11   22 | | | | | |

b. 40   60   80   30   50 | | | | | |

c. 35   27   16   44   59 | | | | | |

d. 100 700 200 900 400 | | | | | |

e. 168 137 192 175 149 | | | | | |

EMC 4060

Counting BIG Amounts

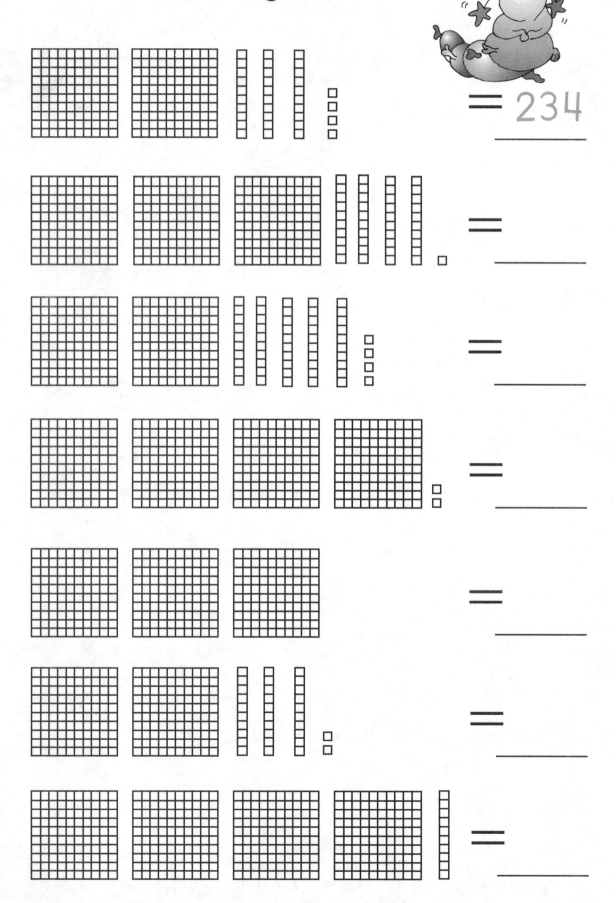

= 234
_____

= _____

= _____

= _____

= _____

= _____

= _____

EMC4060

What comes next?

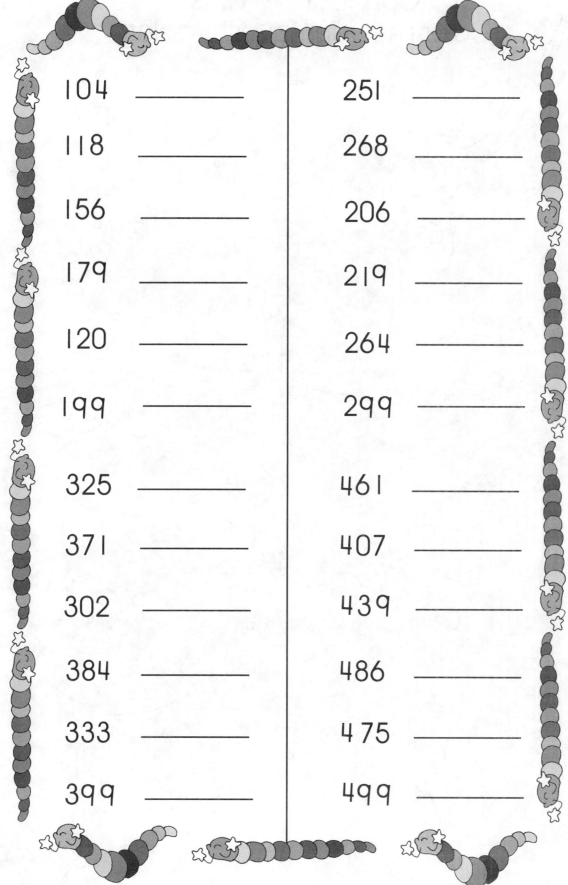

104	_____	251	_____
118	_____	268	_____
156	_____	206	_____
179	_____	219	_____
120	_____	264	_____
199	_____	299	_____
325	_____	461	_____
371	_____	407	_____
302	_____	439	_____
384	_____	486	_____
333	_____	475	_____
399	_____	499	_____

EMC 4060

Start at 100.
Connect the dots.
Color me your favorite colors.

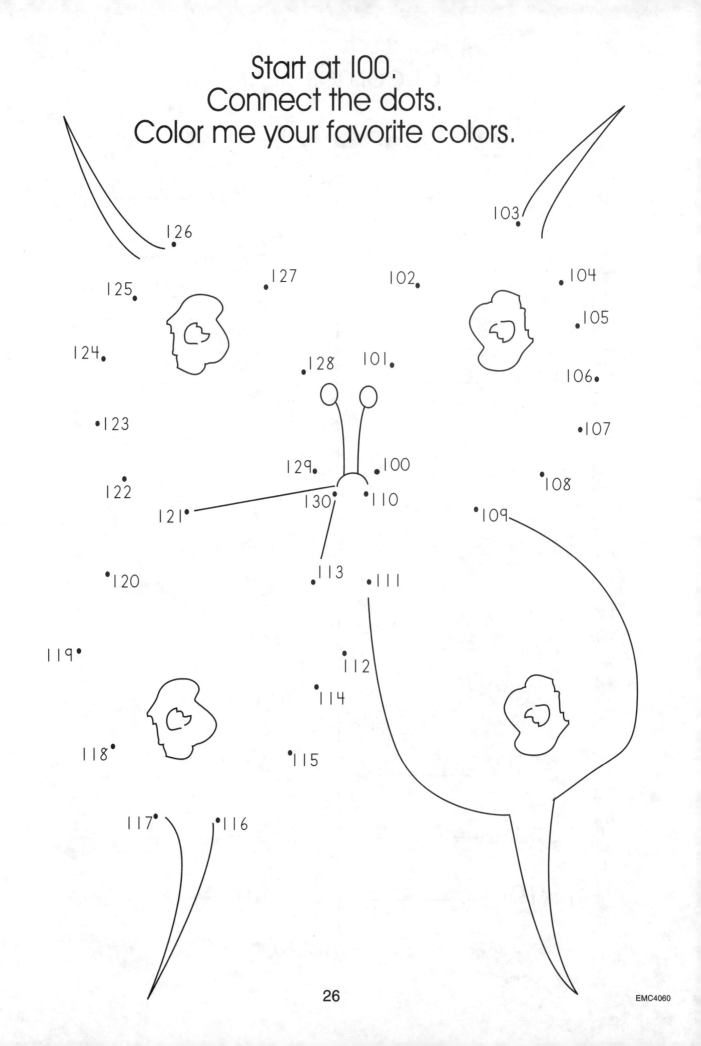

EMC4060

Think about what you know about hundreds, tens, and ones.

5 hundreds + 6 tens + 3 ones = __5 6 3__

6 hundreds + 8 tens + 6 ones = _____

7 hundreds + 4 tens + 9 ones = _____

8 hundreds + 2 tens + 2 ones = _____

9 hundreds + 6 tens + 4 ones = _____

8 hundreds + 1 tens + 8 ones = _____

7 hundreds + 7 tens + 1 ones = _____

6 hundreds + 9 tens + 5 ones = _____

5 hundreds + 3 tens + 7 ones = _____

EMC 4060

Count by 100

100   200   _____   _____

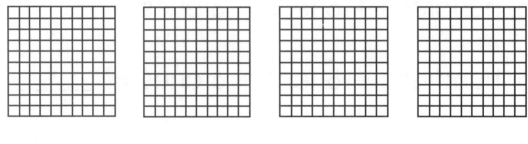

_____   _____   _____   _____

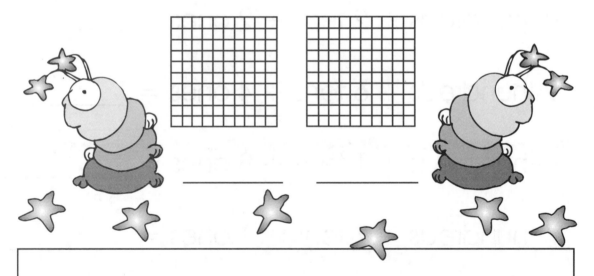

_____   _____

10 hundreds = _____

1000 is _____ hundreds

EMC4060

Write the missing numbers.

134 _____ 136   515 _____ 517

301 _____ 303   898 _____ 900

645 _____ 647   426 _____ 428

578 _____ 580   222 _____ 224

832 _____ 834   715 _____ 717

327 _____ 329   600 _____ 602

853 _____ 855   256 _____ 258

161 _____ 163   483 _____ 485

929 _____ 931   720 _____ 722

Start at 200.
Connect the dots to help this little lost ant find his way home.

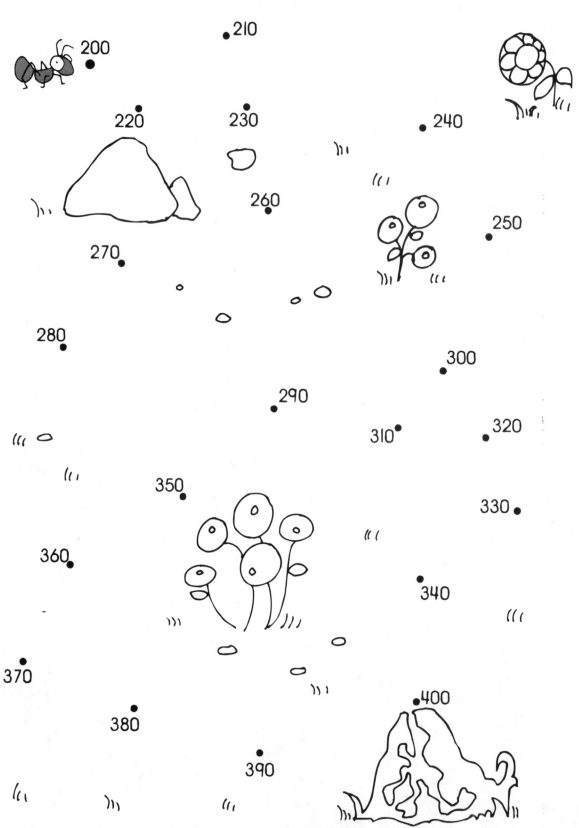

200
210
220
230
240
260
270
250
280
300
290
310
320
330
350
360
340
370
380
390
400

EMC4060

Answer Key

Please take time to go over the work your child has completed. Ask your child to explain what he/she has done. Praise both success and effort. If mistakes have been made, explain what the answer should have been and how to find it. Let your child know that mistakes are a part of learning. The time you spend with your child helps let him/her know you feel learning is important.

page 1

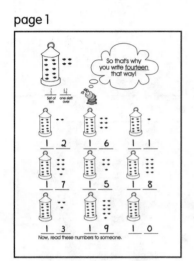

page 2

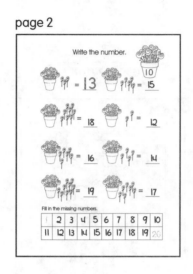

page 3

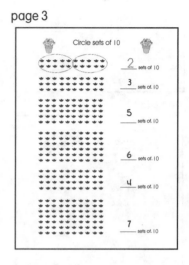

page 4

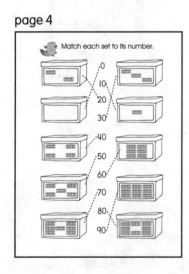

page 5

page 6

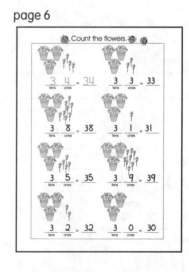

page 7

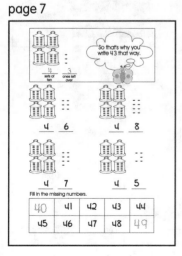

page 8

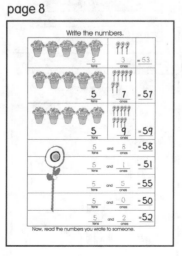

page 9

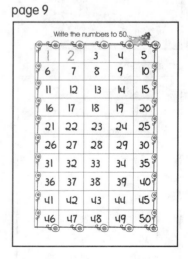

page 10
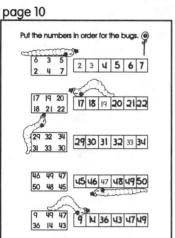

page 11

page 12
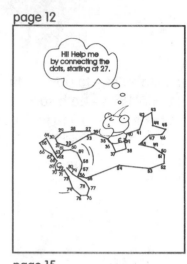

page 13
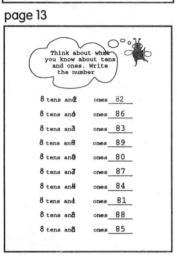

page 14
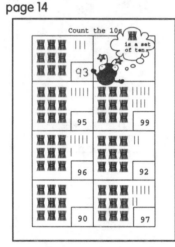

page 15
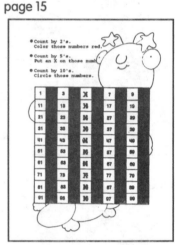

page 16
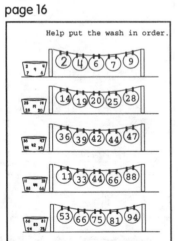

page 17
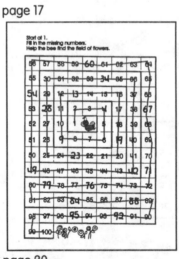

page 18
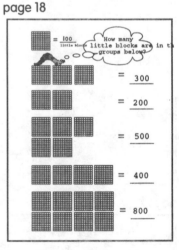

page 19
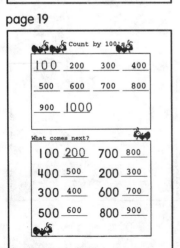

page 20
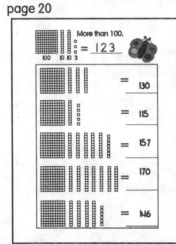

page 21
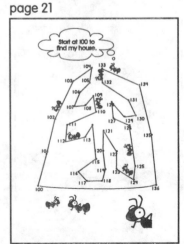

EMC 4060